Histoires
d'
ANIMAUX

FLEURUS

Plus rusé que le renard

Un matin, Glouglou le dindon frappe à la porte du poulailler.
Il dit aux coqs et aux poules :

« Venez à la porcherie. Grand-père cochon fête son
anniversaire. Tous les animaux de la ferme sont invités !

– Oh non ! proteste Poussinet, le plus petit des poussins.
La porcherie sent trop mauvais. Je veux rester ici.

– Je ne peux pas te laisser seul, lui dit sa maman.

Imagine qu'un renard arrive !

– Je ne risque rien, insiste Poussinet. On n'a jamais vu
de renard à la ferme.

– C'est vrai, reconnaît Maman Poule. Bon, sois bien sage
jusqu'à notre retour. »

Resté seul, Poussinet se met à jouer au foot avec un grain
de blé. Soudain, il entend un frottement à la porte
du poulailler, lève les yeux, et frissonne de la tête aux pattes.
Une bête rousse se tient là, avec de fines oreilles
et des dents pointues.

C'est un renard,

qui commence à secouer le grillage pour essayer de l'arracher !

Poussinet réfléchit très vite :

« Il paraît que les renards sont rusés… Il faut que je sois plus rusé que le renard… »

Soudain, il a une idée ! Lissant ses plumes hérissées de peur, il demande d'un air tranquille :

« Tu as déjà mangé un poussin, renard ?

– Non, je préfère les poules bien grasses. Mais j'ai trop faim :

je vais te croquer ! »

Poussinet hausse les épaules :

« Tant pis pour toi. Les poussins, ça donne la peau jaune.

– Qu'est-ce que tu racontes ?

– La vérité ! Quand tu manges une poule rousse, tes poils
gardent leur couleur rousse. Si tu manges un poussin,
tu deviens jaune comme un citron. »

À ces mots, le renard lâche le grillage.

Il est très fier de son beau pelage roux !

« Si les animaux des bois me voient revenir jaune, ils vont
me traiter de pissenlit ! » pense-t-il.

Le poussin reprend : « Pour avoir une belle fourrure, l'idéal est de manger des écureuils.

– Ils sont impossibles à attraper, grogne le renard.

– Moi, je sais où trouver un bon pâté d'écureuil. Tu veux que je te montre ?

– Oui », fait le renard très intéressé.

Poussinet sort courageusement du poulailler par un trou du grillage. Il monte s'asseoir entre les oreilles du renard et le guide jusqu'à la niche du chien !

Le fermier a déposé là une assiette remplie de vieille viande.

Le renard renifle ce repas d'un air méfiant :

« Ça sent mauvais.

– Ne fais pas le difficile, espèce de malpoli ! dit Poussinet

d'un air sévère. Tu devrais me remercier pour ce délicieux

pâté d'écureuil. »

Le renard met alors le museau dans la gamelle…

Non loin de là, dans la porcherie où sont réunis tous

les animaux, le chien de garde lève la tête :

« Ça sent une drôle d'odeur. »

Tout le monde éclate de rire : « Quel flair !

C'est maintenant que tu remarques le parfum des cochons ?

– Non, c'est autre chose. L'odeur du renard, je crois… »

Maman Poule s'affole :

« Au secours ! Mon Poussinet ! »

Le coq lance « Cocorico ! » comme une trompette de guerre,
et tous les animaux chargent ensemble vers la cour de la ferme.
Quand le chien aperçoit le renard la tête dans sa gamelle,
il bondit vers sa niche en poussant des aboiements féroces.
Le renard a juste le temps de détaler pour sauver sa vie.

On ne risque pas de le revoir à la ferme, mais Maman Poule
ne quittera plus Poussinet jusqu'à ce qu'il ait grandi !

Bonne nuit Rémi !

À la ferme du Pont-Roux, Rémi élève des animaux et cultive des céréales et des légumes. Il travaille du matin au soir, sort les bêtes, les nourrit, les soigne, fabrique du fromage, sème le blé, récolte le maïs… Il n'arrête pas de la journée et avec la fatigue, il se met à faire des bêtises !

Les chevaux sont tondus à la place des moutons, les poules couvent des choux à la place des œufs et des lapins bizarrement déguisés jouent à l'épouvantail au beau milieu des champs pour effrayer les oiseaux !

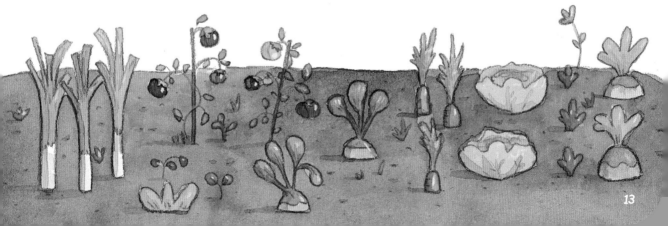

« Ça ne peut pas continuer comme ça !

s'écrie un jour le coq. Il faut que Rémi se repose !
À partir de demain, je ne chanterai plus pendant une
semaine pour ne pas le réveiller, et pendant qu'il dort,
nous travaillerons à sa place ! »
Les vaches, les chèvres, les moutons, les poules,
les chevaux, les lapins, tous acceptent d'aider le fermier.

Et dès le lendemain, alors que Rémi ronfle paisiblement, des choses incroyables se passent à la ferme : les poules traient les vaches, les cochons repeignent la clôture, les chevaux labourent les champs et sèment le blé...

Toute la semaine, les animaux travaillent à la place de Rémi ! Même les grenouilles de la mare donnent un coup de main en rasant le fermier dans son sommeil, la veille de son réveil !

Ce jour-là, le coq prend sa plus belle voix et se remet
à chanter :

« Cocoriccooooooo ! »

Le fermier se lève, reposé. Il croit avoir fait une bonne
nuit de sommeil, quand il entend le klaxon du boulanger.
« C'est impossible, le boulanger est déjà passé hier
et il ne passe qu'une fois par semaine ! Mais alors…
j'ai dormi pendant sept jours !!! »

Il saute de son lit et court aux écuries, affolé :
« Mes pauvres animaux, ils doivent mourir de faim ! »
Mais à sa grande surprise, les litières sont changées
et chacun a sa ration de foin !

Il court à l'étable… Personne !

Il se précipite au pré : les vaches y sont déjà, qui ruminent
tranquillement, et la clôture est comme neuve !
Il revient chez lui, abasourdi ; il n'est pas au bout
de ses surprises : dans la cuisine, des centaines d'œufs
l'attendent, sagement alignés, et des dizaines de fromages
sont prêts.

« C'est formidable, mais qui a bien pu faire ça ? s'étonne Rémi. En tout cas, je le remercie de tout mon cœur, je me suis bien reposé et je suis en pleine forme pour m'occuper de mes chers petits ! »

Les animaux de la ferme sont ravis !

Désormais, une fois par semaine, ils laissent le fermier dormir en paix. Bien reposé, Rémi ne fait plus de bêtise et les animaux sont câlinés comme il faut !

Aussi, s'il vous arrive un jour de vous aventurer sur le chemin du Pont-Roux, ne vous étonnez pas de voir travailler des moutons, une fourche « à la main », ou des lapins transporter des œufs entre leurs oreilles, c'est qu'il s'agit de la ferme de Rémi où les bêtes travaillent pendant que le fermier est endormi !

Un prix pour Eddy ?

« **M**es amis, écoutez-moi tous ! »

Dans la cour de la ferme, Marguerite, la vache, s'adresse
aux autres animaux. Elle vient de rentrer des champs et paraît
très mécontente :

« J'ai entendu les vaches du pré voisin se moquer de nous.
Elles disent que Monsieur Picotin, notre fermier, n'a vraiment
pas de chance d'avoir des animaux qui ne gagnent jamais
de concours !

— Ooooh ! »

font les animaux vexés.

Alors, Eddy, l'âne s'avance pour dire :

« On va leur montrer qu'elles ont tort. Dans un mois, c'est la foire du printemps au village.

– Tu crois vraiment que nous pourrions remporter un prix ? demande Betty la chèvre.

– Moi, je ne le pourrai pas puisqu'il n'y a pas de concours pour les ânes. Mais vous,

bien sûr que vous le pouvez ! »

Léon le mouton s'exclame :

« Tu plaisantes ? Nous ne gagnerons jamais !

– Il a raison, confirme Tony le cheval, Nous n'avons vraiment rien d'extraordinaire. »

Surpris, Eddy se met à les regarder. Il a toujours trouvé ses amis fantastiques !

« Je ne suis pas d'accord, dit-il.

Je crois vraiment que l'on peut y arriver.

Il suffit que l'on donne le meilleur de nous-mêmes ! »

Les autres animaux n'y croient pas vraiment, mais Eddy a l'air convaincu. Après tout,

cela vaut la peine d'essayer !

Les jours suivants, l'âne est partout à la fois.
Il trottine aux côtés de Tony pour l'encourager à tirer plus fort la charrue. Il conduit Betty près des herbes odorantes pour que son fromage ait un goût parfumé. Il accompagne Léon vers des pâturages éloignés où il ne serait jamais allé seul. Là, l'herbe tendre et délicieuse lui fait la laine douce.
Enfin, il raconte des histoires à Marguerite pendant la traite. Elle donne alors un lait abondant et crémeux.

Quand vient le jour de la foire du printemps,
Monsieur Picotin fixe sur le dos d'Eddy des paniers
pleins de fromages de chèvre. Puis il monte sur Tony,
et tous se mettent en route.
Les animaux sont inquiets. Ils ont tellement peur de ne
pas être à la hauteur !
« Mais non, leur répète Eddy,

vous avez fait des **progrès incroyables** !

Vous gagnerez, j'en suis certain. »

Lorsqu'ils arrivent au village,

les concours commencent.

Tony remporte très vite le prix du cheval le plus musclé.
Puis Léon celui de la laine la plus soyeuse. Les fromages
de Betty ravissent le jury. Quant à Marguerite,
encouragée par Eddy, elle donne tellement de lait qu'il
faut aller chercher un deuxième seau !

De retour à la ferme, les animaux sont tout joyeux.

Ils ont réussi !

Plus personne n'osera se moquer d'eux !

Pourtant, Betty remarque qu'Eddy a l'air un peu triste.

« C'est vrai, dit-il, j'aurais aimé moi aussi gagner un prix.

Hélas, tout le monde sait qu'un âne n'aura jamais rien

d'exceptionnel ! »

À ces mots, ses amis protestent :

« C'est toi le plus exceptionnel.

Sans tes encouragements, nous n'aurions jamais gagné ! »

Et pour bien le lui prouver, ils passent chacun leur

médaille autour du cou de l'âne stupéfait, mais ravi.

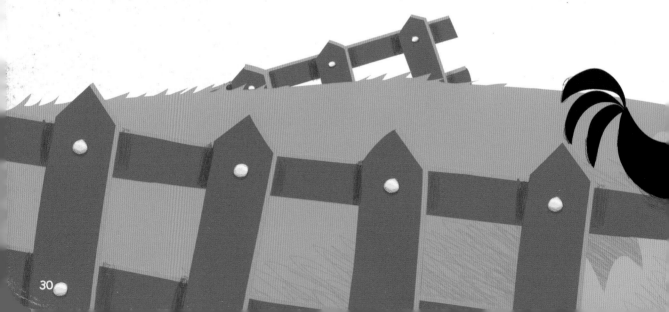

Plus rusé que le renard,
histoire de Charlotte Grossetête, illustré par Vanessa Gautier

Bonne nuit Rémi,
histoire de Séverine Onfroy, illustrée par Emilie Vanvolsem

Un prix pour Eddy ?,
histoire de Nathalie Somers, illustrée par Pascal Vicollet

FLEURUS

Illustration de couverture : Emilie Vanvolsem
Direction : Guillaume Arnaud
Direction éditoriale : Sarah Malherbe

Édition : Virginie Gérard-Gaucher
Direction artistique : Élisabeth Hebert
Conception graphique : Amélie Hosteing
Mise en pages : Timm Borg

Fabrication : Thierry Dubus, Aurélie Lacombe

© Fleurus, Paris, 2012
Site : www.fleuruseditions.com
ISBN : 978-2-2151-1882-4
MDS : 651 656
N° d'édition : 12013-01
Tous droits réservés pour tous pays.
« Loi n° 49-956 du 16 juillet 1949 sur les publications destinées à la jeunesse. »

Achevé d'imprimer en décembre 2011 par Dedalo Offset, Espagne
Dépôt légal : janvier 2012